WILDLIFE

FAUNE

19 87

Gaining Momentum

Un nouvel essor

THE ART OF SURVIVAL

LA SURVIVANCE ET L'ART

THE ART OF SURVIVAL
CANADIAN ARTISTS IN AID OF
ENDANGERED WILDLIFE

LA SURVIVANCE ET L'ART
LES ARTISTES CANADIENS À LA RESCOUSSE
DES ESPÈCES MÉNACÉES

WILDLIFE '87
CANADIAN WILDLIFE ASSOCIATES

CREDITS

Editorial Committee Ian Kirkham, Steve Curtis, and
Terrence Heath

Translation Danièle Tittley, Hélène Lévesque

Editing Raymonde Lanthier

Design Margot Boland Graphic Design

Typesetting Q Composition Incorporated

Colour Separations Scancolour Limited

Printing Johanns Graphics Incorporated

This catalogue has been published by Wildlife '87 in association with Canadian
Wildlife Associates.

Photo Credits Photographs of artists and transparencies for works reproduced
were made available by the artists and their publishers/dealers.
  Photo of Her Excellency The Right Honourable Jeanne Sauvé, the Governor-
General of Canada, by Karsh.

Canadian Cataloguing in Publication Data

Copyright © Canadian Wildlife Associates
1987
The Art of Survival

Catalogue of an exhibition organized by Wildlife '87 and held at the Royal
Ontario Museum, December 12, 1987 – February 21, 1988
Text of essay by Yorke Edwards

ISBN 0-9693278-0-3

CREDITS

Comité de rédaction Ian Kirkham, Steve Curtis, and
Terrence Heath

Traduction Danièle Tittley et Hélène Lévesque

Révision Raymonde Lanthier

Graphisme Margot Boland Graphic Design

Composition Q Composition Incorporated

Séparation des couleurs Scancolour Limited

Impression Johanns Graphics Incorporated

Ce catalogue a été publié par Faune 1987 en collaboration avec l'Association
canadienne de la faune.

Photographies Les photographies des artistes et les diapositives de leurs
oeuvres ont été gracieusement fournies par les artistes et leurs éditeurs et
marchands.
  La photographie de Son Excellence la très Honorable Jeanne Sauvé,
gouverneur général du Canada, est l'oeuvre de Karsh.

Données de cataloguage avant publication (Canada)

Copyright © Association canadienne de la faune – Canadian Wildlife Associates
1987
La survivance et l'art.

Catalogue d'une exposition montée dans le cadre de Faune 1987 au Musée
royal de l'Ontario, du 12 décembre 1987 au 21 février 1988.
Essai rédigé par Yorke Edwards.

ISBN 0-9693278-0-3

TABLE OF CONTENTS

TABLE DE MATIÈRES

Canadian wildlife artists are among the best in the world. Through their work, nature's beauty is captured for all of us to share and appreciate. Indeed, for many, impressions of the natural world come solely from art and photography.

The Royal Ontario Museum Exhibition entitled "The Art of Survival, Canadian Artists in Aid of Endangered Wildlife" proclaims there is indeed hope for the recovery of endangered species.

I extend to all those associated with the Exhibition my very best wishes for success.

Jeanne Sauvé

Jeanne Sauvé

Les peintres animaliers du Canada comptent parmi les meilleurs du monde. Leurs oeuvres nous font voir la beauté de la nature en représentant les richesses de la flore et de la faune.

L'exposition du Musée royal de l'Ontario intitulée "la survivance et l'art: les artistes canadiens à la rescousse des espèces menacées" démontre qu'il est possible de sauver les espèces en voie de disparition.

Je félicite donc tous les promoteurs de cette initiative et leur souhaite bon succès.

Jeanne Sauvé

Jeanne Sauvé

As Canada's Minister of the Environment, I am delighted to support the publication of "The Art of Survival, Canadian Artists in Aid of Endangered Wildlife" – a catalogue of one of the best exhibitions of wildlife art ever assembled under one roof in Canada. Indeed, the list of exhibitors constitutes a veritable "Who's Who" of wildlife artists in our country. Their work reflects an appreciation of wildlife that the exhibit itself should do much to increase in the public at large.

Such a project could not be more timely: It comes in the closing weeks of Wildlife '87 – a year officially designated by the Government of Canada to celebrate the conservation movement, focusing on the centennial of the first wildlife sanctuary in all of North America established by Sir John A. Macdonald at Last Mountain Lake in Saskatchewan. I am particularly pleased that part of the proceeds of "The Art of Survival" catalogue will be donated to the Endangered Species Recovery Fund, recently created by Environment Canada and the World Wildlife Fund as a major centennial project.

By buying this book, you are doing much more than acquiring a superb piece of Canadiana, which will bring joy for many years to come; you are also supporting a cause that is at the heart of the heritage of our country.

I congratulate everyone involved with the project and wish it much success.

Tom McMillan, P.C., M.P.   Minister of the Environment

À titre de ministre fédéral de l'Environnement, il me fait plaisir d'appuyer la publication de "La survivance et l'art, les artistes canadiens à la rescousse des espèces menacées", un catalogue sur l'une des meilleures collections d'oeuvres d'art animalier jamais réunies sous un même toit au Canada. La liste des exposants constitue un véritable bottin mondain de nos artistes animaliers. Leur art exprime une appréciation de la faune que cette exposition devrait contribuer à accroître parmi le grand public.

Ce projet n'aurait pu avoir lieu à un moment plus propice : les dernières semaines de Faune 1987. Cette année a été choisie officiellement par le gouvernement du Canada pour célébrer le centenaire de la conservation de la faune autour du thème de la création, il y a 100 ans, de la première réserve faunique d'Amérique du Nord, par John A. Macdonald, au lac Last Mountain, en Saskatchewan. Je suis particulièrement heureux de ce qu'une partie des profits de la vente du catalogue "La survivance et l'art" soient versés au Fonds pour les espèces menacées, de disparition au Canada, créé récemment par Environnement Canada et le Fonds mondial pour la nature (Canada) dans le cadre de ce centenaire.

En achetant ce livre, vous ferez bien plus qu'acquérir une oeuvre exclusivement canadienne que vous aurez le loisir d'apprécier pendant de nombreuses années. Vous appuierez aussi une cause qui est au coeur même du patrimoine de notre pays.

Je félicite tous ceux et celles ayant pris part à ce projet qui, je l'espère, sera couronné de succès.

Le ministre de l'Environnement,

Tom McMillan

THE ART OF SURVIVAL

"The Art of Survival, Canadian Artists in Aid of Endangered Wildlife", is part of a national celebration commemorating 100 years of wildlife conservation in Canada: WILDLIFE '87.

Numerous wildlife conservation projects, both large and small, involving Canadians from all walks of life, were realized during the year. A focus of activity was the commemoration of the first wildlife sanctuary in all of North America, established in 1887 by Sir John A. Macdonald, at Last Mountain Lake in Saskatchewan.

Another major project of the centenary was the creation of the Endangered Species Recovery Fund by Environment Canada and the World Wildlife Fund (Canada). Government money will be matched by private sector funds to design projects that will help reverse the growing numbers of wildlife becoming threatened and endangered.

There are currently 138 species listed by The Committee on the Status of Endangered Wildlife in Canada (COSEWIC) as endangered, threatened or rare in Canada. Twenty-five of those species were added to the list in 1987. Those additional listings do not necessarily indicate that things are getting worse. Rather, we are becoming more aware of our precious wildlife in Canada, and we are now able to make an accurate determination of the status of additional species — the first step in doing something positive for their recovery.

A spirit of co-operation is at the heart of Wildlife '87 and the history of wildlife conservation in Canada. The wildlife art exhibition is the product of organizational skills contributed by government and non-government agencies and of works of art provided by galleries, private collectors and, of course, by the artists themselves.

Canada's wildlife artists are among the finest in the world, and through their work, we as Canadians, show the world a part of ourselves that is almost instinctive: a respect and love of nature. The art pieces displayed here, both collectively and individually, reveal the breadth and wealth of the country's wildlife.

The "Art of Survival" is more than an excellent showpiece for Canada's finest wildlife artists, it will contribute to the protection of wildlife in jeopardy. A portion of the revenue from the sale of the companion art book will be donated to the Endagered Species Recovery Fund.

Canadians have, with pride, looked back on the achievements in wildlife conservation during the past century, but as importantly, are looking forward to creating new conservation initiatives to ensure that future generations will have a natural heritage to be proud of in the year 2087.

L'ART DE SURVIVRE

L'exposition "L'art canadien au service des espèces menacées d'extinction" fait partie des événements qui commémorent un siècle de conservation des espèces au Canada : WILDLIFE 87.

De nombreux projets de conservation des espèces, petits et grands, auxquels participent des Canadiens de tous les milieux sociaux ont été mis en oeuvre pendant l'année. Le point saillant des activités a été la commémoration de la fondation, en 1887, par Sir John A. Macdonald, de la première réserve zoologique d'Amérique du Nord, à Last Montain Lake en Saskatchewan.

Un autre projet d'envergure du centenaire a été la création par Environnement Canada et le World Wildlife Fund (Canada) du Endangered Species Recovery Fund. Les subsides gouvernementaux seront doublés par les donations du secteur privé pour l'élaboration de projets destinés à endiguer la menace d'extinction des espèces devenues rares.

Actuellement, d'après la liste établie par le Committee sur le Status of Endangered Wildlife in Canada (COSEWIC), il existe au Canada 138 espèces menacées de disparition ou rares. Vingt-cinq autres y ont été ajoutées en 1987. Néanmoins, ces additions ne signifient pas pour autant que la situation empire. Au contraire, nous nous intéressons davantage à la préservation de la faune canadienne et nous sommes à même maintenant de déterminer le statut de ces espèces supplémentaires — la première étape des mesures positives prises pour assurer leur sauvegarde.

L'esprit de collaboration règne au sein de Wildlife 87 et de l'histoire de la conservation de la faune au Canada. L'exposition artistique est le résultat des efforts déployés par le gouvernement et les organismes non gouvernementaux; les oeuvres sont fournies par les galeries, les collectionneurs privés et, bien entendu, par les artistes.

Les peintres animaliers du Canada ont acquis une réputation internationale enviable et c'est grâce à leurs oeuvres que nous pouvons révéler au monde nos sentiments pour ainsi dire instinctifs, c'est-à-dire le respect et l'amour de la nature. Les oeuvres exposées ici, tant collectivement qu'individuellement, révèlent l'ampleur et la richesse de la faune de notre pays.

Outre l'occasion d'exposer les oeuvres de nos plus talentueux artistes, "L'art de survivre" contribuera à la protection d'une faune dont l'avenir est en péril. Une partie des fonds issus de la vente du livre d'art offert au public à l'occasion de l'exposition artistique sera versée au Endangered Species Recovery Fund.

Les Canadiens peuvent s'enorgueillir des progrès accomplis au cours du siècle dernier pour la conservation des espèces et ils n'attendent que de voir surgir de nouvelles initiatives pour assurer aux générations futures un patrimoine dont ils pourront être fiers d'ici l'an 2007.

ENDANGERED SPECIES IN CANADA 1987

	MAMMALS	BIRDS	REPTILES AMPHIBIANS & FISH	PLANTS	PLANTS
EXTINCT	Dawson Caribou Sea Mink	Great auk Labrador Duck Passenger Pigeon	*Banff Longnose Dace Blue Walleye Longjaw Cisco		
EXTIRPATED	*Atlantic Gray Whale *Atlantic Walrus St. Lawerence population Black-footed Ferret Swift Fox		*Gravel Chub *Paddlefish		*Blue-eyed Mary

ENDANGERED	Bowhead Whale
	Eastern Cougar
	Right Whale
	St. Lawrence River
	  Beluga Whale
	Sea Otter
	Vancouver Island
	  Marmot
	Wood Bison
		Eskimo Curlew
		Greater Prairie Chicken
		Kirtland's Warbler
		*Mountain Plover
		Peregrine Falcon
		  subspecies anatum
		Piping Plover
		Spotted Owl
		Whooping Crane
			Acadian Whitefish
			*Aurora Trout
			Leatherback Turtle
			Salish Sucker
				Cucumber Tree
				Eastern Mountain
				  Avens
				Eastern Prickly Pear
				  Cactus
				Furbish's Lousewort
				Heart-leaved Plantain
				Hoary Mountain Mint
				Large Whorled Pogonia
					Pink Coreopsis
					Pink Milwort
					Slender Bush Clover
					Southern Maidenhair
					  Fern
					Small White Lady's Slipper
					Small Whorled Pogonia
					*Spotted Wintergreen
					Water-pennywort

THREATENED	Maritime Woodland
	  Caribou
	Newfoundland Pine
	  Marten
	North Pacific
	  Humpback Whale
	Peary Caribou
	Prairie Long-tailed
	  Weasel
		Burrowing Owl
		Ferruginous Hawk
		Henslow's Sparrow
		Loggerhead Shrike
		Peregrine Falcon
		  subspecies tundrius
		Roseate Tern
			*Copper Redhorse
			*Great Lakes
			  Deepwater Sculpin
			*Lake Simcoe
			  Whitefish
			Shorthead Sculpin
			*Shortjaw Cisco
			*Shortnose Cisco
				*American Chestnut
				American Water-willow
				Athabasca Thrift
				Blue Ash
				Bluehearts
				Giant Helleborine
				*Golden Crest
					Kentucky Coffee Tree
					Mosquito Fern
					Plymouth Gentian
					*Red Mulberry
					Sweet Pepperbush
					Tyrrell's Willow

RARE	Black-tailed Prairie Dog
	Blue Whale
	Eastern Mole
	*Fin Whale
	Grey Fox
	Northwest Atlantic
	  Humpback Whale
	Plains Pocket Gopher
	Queen Charlotte
	  Islands Ermine
	Western Woodland
	  Caribou
	Wolverine
		Barn Owl
		Caspian Tern
		Cooper's Hawk
		Eastern Bluebird
		Great Gray Owl
		Ipswich Sparrow
		Ivory Gull
		King Rail
		Peregrine Falcon
		  subspecies pealei
		Prairie Warbler
		Prothonotary Warbler
		Red-shouldered Hawk
		Ross's Gull
		Trumpeter Swan
			Bigmouth Shiner
			Blackstripe
			  Topminnow
			Brindled Madtom
			Central Stoneroller
			Charlotte
			  Unarmoured
			  Stickleback
			Fowler's Toad
			Giant Stickleback
			*Green Sturgeon
			Lake Lamprey
			*Pacific Sardine
			Pugnose Minnow
			Pugnose Shiner
			*Redside Dace
			River Redhorse
			Shortnose Sturgeon
			Silver Chub
			Silver Shiner
			Speckled Dace
			Spotted Gar
			Spotted Sucker
			*Squanga Whitefish
				Broad Beech-fern
				Dwarf Hackberry
				Few-flowered
				  Club-rush
				Green Dragon
				Hill's Pondweed
					Hop Tree
					*Lilaeopsis
					Prairie Rose
					Prairie White-fringed
					  Orchid
					Shumard Oak
					Soapweed
					*Swamp Rose Mallow
					*Victorin's Gentian
					*Victorin's Water
					  Hemlock

DELISTED		*White Pelican			

*Status designated in 1987
△COSEWIC considers information from the most reliable sources and assigns status in one of the following categories.

EXTINCT: Any indigenous species of fauna or flora formerly indigenous to Canada no longer existing elsewhere.

EXTIRPATED: Any indigenous species of fauna or flora no longer existing in the wild in Canada but existing elsewhere.

ENDANGERED: Any indigenous species of fauna or flora whose existence in Canada is threatened with immediate extirpation or extinction throughout all or a significant portion of its range, owing to the actions of man.

THREATENED: Any indigenous species of fauna or flora that is likely to become endangered in Canada if the factors affecting its vulnerability do not become reversed.

RARE: Any indigenous species of fauna or flora that, because of its biological characteristics, or because it occurs at the fringe of its range, or for some other reasons exists in low numbers or in very restricted areas in Canada, and so is vulnerable, but is not a threatened species.

DE-LISTED: A species previously designated by COSEWIC whose national status is no longer rare, threatened, endangered or extirpated. Designated as threatened from 1978-1986, the White Pelican is the first species to be de-listed by COSEWIC.

ESPÈCES MENACÉES AU CANADA 1987

	MAMMIFÈRES	OISEAUX	REPTILES AMPHIBIENS ET POISSONS	PLANTES	PLANTES
DISPARUES	Caribou de Dawson Vison de mer	Canard du Labrador Grand pingouin Tourte	Cisco à grande bouche Doré bleu *Naseux des rapides de Banff		
DISPARUES AU CANADA	*Baleine grise (population de l'Atlantique) *Morse (population du Saint-Laurent) Putois d'Amérique Renard véloce		*Gravelier *Spatulaire		*Collonsie bicolore
EN DANGER DE DISPARITION	Baleine boréale Baleine franche Béluga du Saint-Laurent Bison des bois Couguar de l'Est Loutre de mer Marmotte de l'île Vancouver	Chouette tachetée Courlis esquimau Faucon pèlerin (sous-espèce *anatum*) Grande poule-des-prairies Grue blanche d'Amérique Paruline (fauvette) de Kirtland *Pluvier montagnard Pluvier siffleur	Corégone d'Acadie Meunier de Salish *Omble de fontaine (sous-espèce *aurora*) Tortue luth	Benoîte de montagne de l'Est Grande Pogonie verticillée Magnolier acuminé Oponce de l'Est Pédiculaire de Furbish Plantain à feuilles cordées Pycnanthème gris Capillaire de Montpellier	*Chimaphile maculé Coréopsis rose Cypripède blanc Hydrocotyle Lespédézie de Virginie Petite Pogonie verticillée Polygalat incarnat
MENACÉES	Belette à longue queue (des Prairies) Caribou de Peary Caribou des bois (population maritime) Martre d'Amérique (pop. de Terre-Neuve) Rorqual à bosse (du Pacifique Nord)	Bruant (pinson) de Henslow Buse rouilleuse Chouette des terriers Pie-grièche migratrice Faucon pèlerin (sous-espèce *tundrius*) Sterne de Dougall (rosée)	Chabot à tête courte *Chabot de profondeur des Grands Lacs *Cisco à mâchoires égales Cisco à museau court *Corégone du lac Simcoe *Suceur cuivré	Armeria maritime de l'Athabaska Buchnera d'Amérique Carmantine d'Amérique *Châtaignier d'Amérique Epipactis géant Frêne quadrangulaire *Lophiolie d'Amérique Azolla	Chicot févier Clèthre à feuilles d'aulnes *Mûrier rouge Sabatia de Kennedy Saule de l'intérieur (sous-espèce *Tyrrellii*)
RARES	Carcajou Caribou des bois (population de l'Ouest) Chien de prairie Gaufre brun Hermine des îles de la Reine-Charlotte Renard gris Rorqual à bosse (de l'Atlantique Nord) Rorqual bleu *Rorqual commun Taupe à queue glabre	Bruant (pinson) d'Ipswich Buse à épaulettes Chouette lapone (cendrée) Cygne trompette Effrais des clochers Épervier de Cooper Faucon pèlerin (sous-espèce *pealei*) Merle-bleu de l'Est (à poitrine rouge) Mouette blanche Mouette rosée Paruline des prés Paruline orangée Râle élégant Sterne caspienne	Chat-fou tacheté *Corégone du Squanga Crapaud de Fowler Épinoche géante Épinoche lisse des îles de la Reine-Charlotte Esturgeon à museau court *Esturgeon vert Fondule rayée Lamproie à grand disque Lépisosté tacheté Méné à grande bouche Méné à grandes écailles Méné à nageoires rouges Méné camus *Méné long Meunier tacheté Naseux moucheté Petit-bec Roule-caillou *Sardine du Pacifique Suceur ballot	Ariséma dragon Chêne de Shumard *Cicutaire maculée de Victorin *Gentiane de Victorin Habénaire blanchâtre *Ketmie des marais Lileopsis	Micocoulier de Soper Potamot de Hill Ptéléa trifolié Rosier des Prairies Scirpe timide Thélyptéride hexagonale Yucca glauque
RETIRÉE DE LA LISTE		*Pélican blanc			

*Statut établie en 1987

Le CSEMDC étudie les informations scientifiques les plus fiables et classe l'espèce visée dans l'une des catégories suivantes :

ESPÈCE DISPARUE : Toute espèce de faune ou de flore autrefois indigène au Canada, mais qui n'existe plus nulle part.

ESPÈCE DISPARUE AU CANADA : Toute espèce indigène de faune ou de flore qui n'existe plus à l'état sauvage au Canada, mais qui existe ailleurs.

ESPÈCE EN DANGER DE DISPARITION : Toute espèce indigène de faune ou de flore du Canada qui est en danger de disparition immédiate dans la totalité ou une grande partie de son habitat, en raison des actions de l'homme.

ESPÈCE MENACÉE* : Toute espèce indigène de faune ou de flore qui sera vraisemblablement menacée au Canada si les facteurs qui la rendent vulnérable ne sont pas éliminés.

ESPÈCE RARE : Toute espèce indigène de faune ou de flore qui, en raison de ses caractéristiques biologiques ou parce qu'elle ne se rencontre plus qu'à la limite de son habitat, ou pour toute autre raison, existe en petit nombre ou ne se retrouve que dans des régions très restreintes au Canada, mais qui n'est pas une espèce menacée.

ESPÈCE RETIRÉE DE LA LISTE : Toute espèce déjà désignée par le CSEMDC et qui n'est plus rare, menacée, en danger de disparition ne disparue au Canada. Ainsi, le pélican blanc, désigné comme espèce menacée entre 1978 et 1986, est la première espèce retirée de la liste par le CSEMDC.

WILDLIFE ART, A CELEBRATION OF LIFE

Canada's widespread interest in wildlife was never more clearly demonstrated than in 1987. The show of art featured in this book, along with numerous other happenings across Canada through the year, constitute this nation's centennial celebration of wildlife conservation. Wildlife '87 has revealed a breadth of Canadian interest in wildlife which many suspected, and a depth of commitment which most did not. Mainly the work of volunteers, a remarkable wave of activity and accomplishment rose across the country. Governments too have contributed, but the real success has been the extent of grass roots involvement. This spirit of dedication to a cause and need for tangible accomplishments is exemplified by our wildlife artists. Our goals are attainable, evidenced by the creation of Canada's endangered species recovery fund. The Art of Survival evolved out of the need for action and embodies the Canadian instinct for the preservation of nature.

Considering our small population, Canada has an unusually high number of exceptionally talented wildlife artists. This has been true through most of the century. By mid-century Allan Brooks' long career had just ended in British Columbia, Clarence Tillenius and Angus Shortt were active in Manitoba, and John Crosby was producing in Ontario. Of the 19 artists that comprise the body of this book, one greatly influenced many of the remaining artists who were then in their formative years. It was the late Terry Shortt who provided early encouragement to young artists, such as Robert Bateman and Michael Dumas. Internationally respected for his ornithologically correct illustrations of birds, often from remote and harsh environments, Terry Shortt was a model natural historian. His work survives him in numerous publications and private collections, and lives on through his precision and commitment, and through his impact on our current generation of wildlife artists.

Wildlife art is a major interest in the western world today. Just possibly its popularity surpasses that of most other comparable categories of art in our affluent societies. Whether this is true or not, there is no doubt that the art world knows that a new and powerful art interest has appeared in their midst, that the prices of both original wildlife paintings and the prints from them can be very impressive, and that the large numbers of prints bought is a quite new phenomenon.

The wildlife content of wildlife art is clearly a major part of its popularity and success. The freedom symbolized by wild animals has become a passion of affluent western societies. The environmentally oriented generation of the 1960s and 1970s is now becoming our leader and decision maker. Its activism in past years made headlines about its concerns for the quality of air, water, and land in and near urban areas, but its dreams centred on wild areas filled with wild lives where human insults to the environment were largely unknown. It still has its dreams. The result now is an astonishingly widespread interest – in North America at least – in nature in general and in wildlife in particular. Surveys of public attitude suggest the extent of this condition. In 1981 a careful study sampled Canadians to find 80% convinced that "maintaining abundant wildlife" is "very to fairly important"; 84% had "participated in wildlife-related activities" in the previous year; and through that year Canadians had spent $4.2 billion dollars on wildlife-related activities. These are startling figures partly explaining our considerable interest in "wildlife-related" art.

Our enthusiasm for wildlife goes beyond our appreciation of wildlife art, however. Birders (formerly called bird watchers) now number in impressive millions in both northern Europe and North America. Books on birds are big sellers. Magazines find that articles on wildlife increases sales; National Geographic appears to try for one wildlife article per issue. Each month they print over ten million copies, so some confidence in their formula for reaching people seems in order. Seed sellers tell me that winter feed for wild songbirds is a major business; naturalists' organizations in some communities now import their own seed in wholesale lots. American PBS television has numerous wildlife films, often several through the day and up to three more in the evening. Luxury cruises featuring wildlife are numerous and popular, many including well known wildlife experts as on-board attractions. The current boom in wildlife art is therefore, part of a larger phenomenon, and wildlife art prints offer one of the few "take home" objects for enjoyment indoors.

I have been told often that the camera makes realistic wildlife paintings redundant. I cannot agree, though at first glance much wildlife art does appear to be severely realistic. The other comment about wildlife art is that it has been primarily for illustrative purposes.

Through the century, most wildlife art appeared in books about the birds or mammals of provinces, states, countries or other political areas, in which the species discussed were portrayed as prints of paintings. The best of these were stunning portraits, even when economy required that many species had to be crowded onto each plate. Early in the century the best known of the active artists in this field were Louis Fuertes, an American, and Allan Brooks, a Canadian, both of whom appeared in many books while also producing numerous portraits "for the wall". In especially the latter, appropriate habitat backgrounds were often part of the picture but rarely were these given the attention given to the main subjects.

These portraits were a special kind, doing what the camera can seldom do. While the typical photograph captures one pose of one individual in light often less than ideal, after much effort by the photographer to seek out and then approach the nervous subject, the artist has none of these constraints. The pose in his choice, and he typically chooses one that is characteristic of the species. The organism painted is not necessarily an individual, for the aim is usually to portray the species of which no two individuals are quite alike, or sometimes to show an individual idealized but within the limits of the species' variations. The light shown is also under control, hence colours and shadows are controlled. This last is quite unlike the camera's problem of changing colours by burning out highlights and blackening in shadows with gradients of colour between. Finally, the experienced artists will drop off some of the organism's detail, the picture showing the subject much as seen in the field by the human eye. In birds, for instance, the beginning artist draws them obviously covered by many feathers, but that is not how the eye sees birds, even at short distances. Acceptably accurate realism is not necessarily the inclusion of all detail, and the creative decrease of detail in wildlife paintings is very much like the similar aims in other art.

The wildlife artist combines much accumulated knowledge of the subject with considerable creative control of the painted image, to the end that the finished work portrays the very essence of a species. While the accomplished artist can achieve this "essence" often, the accomplished photographer rarely can because so many factors are beyond exacting control.

Wildlife art has flourished most obviously in books on natural history, but there has been a human compulsion to draw and paint animals since the Ice Age, beginning on all inhabitable continents with the remarkable art of stone age peoples. Through European history wildlife has been a constant inspiration to artists, while in some respects early Asian artists have demonstrated even more ability. More recently, John James Audubon stands out, his paintings of birds and to a lesser extent mammals setting new standards for wildlife portrayal. He was also dedicated to understanding the lives of his subjects with the result that he looms large in the foundations of biological science as well. His prints have commanded high prices for a hundred years, and less expensive copies maintain their popularity in the drawing rooms of America. His work has had a popularity not unlike that of some modern artists painting wildlife. In both cases the works appear in books as art, free of the dual need to illustrate a text. Fenwick Lansdowne has been a leader in this modern trend, concentrating on the central figure with the habitat minimally represented, but suggesting it with well chosen bits of habitat carefully portrayed. His works rate with the very best ornithologically. They have a touch of the Oriental at times, and in composition can have strong suggestions of Audubon, who also tended to minimize habitats.

Another trend in wildlife art which has flourished through the decades has been the focus on big game mammals, waterfowl and fish in publications for hunters and fishermen. Much of it has appeared in magazines, but some artists have produced books and prints. A few have excelled in quality and fame, like Carl Rungius who, incidentally, was an American, but who found his subjects in Canadian places like Banff. Works in this tradition put the animal in its appropriate surroundings, but often show the habitat in only a general way. Still, the aim is to present the animal in its proper kind of place, thus making an ecological statement, and this tradition has been an important influence upon much of the wildlife art now being produced.

I have two wildlife prints of the 1980s on the walls of my office. They are prized possessions for a number of reasons. Although they are quite different in many respects, each has interesting composition as viewed at a distance, each contains dramatic forms, each portrays a small bird dwarfed by its surroundings, and each makes a powerful ecological statement about the bird portrayed. I could have bought them for these reasons alone, but each has another dimension which made them irresistible. Each contains an obvious "Spirit of Place". In other words, each shows a kind of place that I know well, a place having fond memories, a place in which I have known the kind of bird portrayed. Each is the essence of a real kind of country, an accurately characterized part of Earth's living face. Anyone who knows Canada could place them.

Canadians are outdoor oriented, and have become increasingly so for several decades. Many wildlife paintings and prints are sold because they capture the spirit of favoured haunts. Who, with memories of a northern lake, could be unmoved by a recent print showing loons on cold blackwater by a steep shore of precambrian rock? I look and I hear loons in morning mists!

Yorke Edwards
Victoria
October 25, 1987

L'ART ANIMALIER, UN HYMNE À LA VIE

L'intérêt des Canadiens pour la nature n'a jamais été plus clairement mis en évidence qu'en 1987. Les oeuvres d'art apparaissant dans cet ouvrage et les diverses manifestations qui ont eu lieu partout au Canada cette année commémorent le centenaire de la conservation de la faune au pays. Faune 1987 a révélé l'ampleur de l'intérêt des Canadiens pour la faune, un phénomène que l'on soupçonnait déjà, mais aussi un engagement profond, bien au-delà des attentes. Grâce au travail de bénévoles principalement, une vague d'activités et de réalisations a soulevé tout le pays. Les gouvernements ont également apporté leur contribution, mais c'est la participation du grand public qui a été la plus remarquable. Nos artistes animaliers illustrent bien cet esprit de dévouement à une cause et ce besoin de faire des gestes concrets. Nos objectifs sont réalisables, et la création du Fonds pour les espèces menacées de disparition au Canada en est la preuve. "La survivance et l'art" découle de la nécessité d'agir et symbolise l'instinct de préservation de la nature présent chez les Canadiens.

Malgré une population peu élevée, le Canada compte un nombre surprenant d'artistes animaliers de grand talent. Cet énoncé se vérifie d'ailleurs pour la majeure partie des cent dernières années. Ainsi, au milieu du siècle, Allan Brook terminait sa longue carrière en Colombie-Britannique, Clarence Tillenius et Angus Shortt s'adonnaient à leur art au Manitoba, et John Crosby oeuvrait en Ontario. L'un des 19 artistes dont les oeuvres sont reproduites dans cet ouvrage a fortement influencé une bonne partie des autres peintres qui en étaient à leur période de formation. C'est au regretté Terry Shortt que revient le mérite d'avoir encouragé dès leurs débuts de jeunes artistes comme Robert Bateman et Michael Dumas. Reconnu sur la scène internationale pour ses illustrations ornithologiques précises, effectuées souvent dans des milieux éloignés et rudes, Terry Shortt s'est avéré un naturaliste modèle. Son oeuvre lui survit dans de nombreuses publications et dans des collections privées et, par son souci du détail et son engagement, dans l'influence qu'il continue d'exercer sur nos artistes animaliers.

De nos jours, le monde occidental affiche un intérêt marqué pour l'art animalier. Dans notre société d'abondance, il est fort possible que sa popularité surpasse celle de la plupart des autres formes d'art comparables. Mais qu'il en soit ainsi ou non, il ne fait pas de doute qu'un intérêt artistique nouveau et marquant se manifeste dans l'univers de l'art, que les prix des peintures originales et de leurs lithographies peuvent être très impressionnants, et que le grand nombre de lithographies vendues constitue un phénomène nouveau. Il n'y a également aucun doute que cela suscite des sentiments partagés dans l'univers de l'art. Quoi de plus humain, en effet, que de regarder la nouveauté avec prudence, et le succès, avec une touche d'envie.

Le thème lui-même de l'art animalier constitue, de toute évidence, un élément important de sa popularité et de son succès. La liberté que symbolisent les animaux sauvages passionne les sociétés occidentales. Les membres de la génération des années 1960 et 1970, qui s'intéressaient à l'environnement, sont maintenant nos leaders et nos décideurs. Ils ont déjà défrayé la manchette parce qu'ils se préoccupaient de la qualité de l'air, de l'eau et des terres dans les milieux urbains ou près de ceux-ci. Mais ils rêvaient de régions sauvages où la faune abondait, où la détérioration de l'environnement par les humains n'existait pas. Cette génération se nourrit encore de rêves. Il en résulte un intérêt étonnamment répandu, du moins en Amérique du Nord, pour la nature en général et la faune en particulier. Des enquêtes sur l'attitude du public témoignent de l'importance de cet intérêt. En 1981, un sondage a révélé que 80 % des Canadiens étaient convaincus que le fait de "maintenir des populations fauniques abondantes" était de "très à modérément important", que 84 % avaient "participé à des activités reliées à la faune" l'année précédente, et qu'au cours de cette année, 4,2 milliards de dollars avaient été consacrés à des activités reliées à la faune. Ces chiffres surprenants expliqueraient en partie notre intérêt manifeste pour l'art "relié à la faune".

Cependant, notre enthousiasme pour la faune va au-delà de notre appréciation de l'art animalier. Les ornithologues amateurs et observateurs d'oiseaux se comptent par millions tant dans le nord de l'Europe qu'en Amérique du Nord. Les livres sur les oiseaux sont très en demande. Les éditeurs de magazines constatent que les articles sur la faqune font augmenter les ventes; la *National Geographic* tente de faire paraître un article sur la faune par numéro. Chaque mois, plus de dix millions d'exemplaires sont imprimés, ce qui confirme le succès de cette formule pour atteindre les gens. Les vendeurs de graines affirment que la nourriture des oiseaux chanteurs pendant l'hiver constitue un marché important. De plus, des groupes de naturalistes de certaines communautés importent à présent des graines qu'ils achètent auprès de grossistes. La chaîne américaine PBS diffuse souvent plusieurs films sur la faune le jour et jusqu'à trois le soir. Les croisières de luxe axées sur l'observation de la nature sont nombreuses et populaires, et des personnalités bien connues dans le domaine de la faune peuvent faire partie des "attractions" à bord. La vogue que connaît actuellement l'art animalier s'inscrit donc dans un contexte beaucoup plus large, et les lithographies font partie des rares objects que l'on peut rapporter chez soi et contempler à loisir.

On m'a souvent dit que les photos rendent superflues les peintures réalistes sur la faune. Je ne suis pas de cet avis, même si, à première vue, une grande partie de l'art animalier semble d'un réalisme strict. On entend souvent dire aussi que l'art animalier était, à l'origine, destiné à des fins d'illustration.

Au cours de ce siècle, la majeure partie de l'art animalier est apparu sous forme de gravures dans les livres portant sur les oiseaux ou les mammifères de provinces, d'États, de pays ou d'autres entités administratives. Les reproductions éblouissantes étaient jugées les meilleures, même lorsque, pour des raisons d'économie, un grand nombre d'espèces devaient être entassées sur une même gravure. Au début du siècle, les mieux connus de ces artistes graveurs étaient Louis Fuertes, un Américain, et Allan Brooks, un Canadien; tous deux ont illustré un grand nombre de livres tout en produisant de nombreuses oeuvres que l'on pouvait suspendre au mur. Dans le cas de Brooks plus particulièrement, l'habitat était représenté à l'arrière-plan mais il recevait rarement l'attention accordée au sujet principal.

Ces reproductions de type très spécial traduisaient souvent ce que l'appareil photo peut rarement capter. Tandis que le photographe saisit un angle de son sujet sous un éclairage souvent inadéquat, et parfois après maints efforts pour trouver ce sujet et ensuite s'en approcher, l'artiste ne subit aucune de ces contraintes. Il peut choisir la position de son sujet et il s'arrête précisément sur celle qui caractérise l'espèce. Le sujet peint n'est pas nécessairement un individu mais il représente plutôt l'espèce puisqu'il n'existe pas deux spécimens exactement indentiques; il peut aussi s'agir parfois d'un individu idéalisé, mais dans les limites des écarts observés chez l'espèce. La lumière est également contrôlée, tout comme le sont les couleurs et les ombres. Ce dernier point soulève des difficultés pour le photographe, car il doit changer les couleurs en éliminant les reflets et en créant des ombres à l'aide de gradients de couleur. Enfin, l'artiste d'expérience laissera de côté certains détails du sujet pour que ce dernier soit le plus près possible de ce que voit l'oeil humain. Dans le cas des oiseaux, par exemple, l'artiste débutant s'attardera à dessiner un grand nombre de plumes, contrairement à ce que l'oeil perçoit de ces oiseaux, même de près. Le réalisme ne consiste pas nécessairement à inclure tout les détails, et l'estompage créatif des détails dans l'art animalier se pratique aussi dans d'autres formes d'art.

L'artiste animalier joint ses connaissances poussées du sujet à une grande maîtrise créative de l'image peinte, afin que le produit fini représente l'essence même d'une espèce. Tandis que l'artiste chevronné peut souvent capter cette "essence", le photographe accompli y arrive rarement, car il y a trop de facteurs impondérables qui entrent en jeu.

L'art animalier a été florissant dans les livres d'histoire naturelle principalement, mais on remarque une impulsion à dessiner et à peindre les animaux depuis l'ère glaciaire, et ce sur tous les continents habités, en commençant par l'art remarquable des peuples de l'âge de pierre. L'histoire européenne révèle que la faune a toujours été une source d'inspiration pour les artistes, et parfois, les jeunes artistes asiatiques ont fait preuve d'encore plus de talent. Plus récemment,

John James Audubon est entré en scène avec ses peintures d'oiseaux et, à un moindre degré, de mamifères, qui établissaient de nouvelles normes. Il s'est également attaché à comprendre la vie de ses sujets, ce qui signifie qu'il a puisé abondamment dans les fondements de la biologie. Ses lithographies se sont vendues à prix fort pendant une centaine d'années, et des copies moins chères ont conservé leur popularité dans les salons de l'Amérique du Nord. Les oeuvres d'Audubon ont atteint une popularité qui n'est pas différente de celle de certains artistes animaliers contemporains. Dans les deux cas, ces oeuvres paraissent dans les livres en tant qu'art, et il n'est plus nécessaire qu'elles illustrent un texte. Fenwick Lansdowne, chef de file de cette tendance moderne, met l'accent sur le sujet central en accordant une place moindre au milieu, mais en le suggérant par des parcelles d'habitat bien choisies et soigneusement représentées. Ses travaux comptent parmi les meilleures pièces ornithologiques. Ils ont parfois une touche orientale et, au niveau de la composition, ils rappellent Audubon, qui avait également tendance à restreindre l'importance de l'habitat. Les livres d'art de Lansdowne se vendent bien et ses lithographies sont populaires, dans la tradition Audubon.

Une autre tendance s'est manifestée dans l'art animalier au cours des dernières décennies : on a vu apparaître dans des publications destinées aux chasseurs et aux pêcheurs, des oeuvres ayant pour thème le gros gibier, la sauvagine et les poissons. La plupart de ces représentations ont paru dans des magazines, mais certains artistes ont produit des livres et des lithographies. Quelques-uns se sont distingués quant à la qualité de leur travail et ont atteint une grande renommée, par exemple Carl Rungius qui est Américain mais qui a trouvé des sujets dans des sites comme Banff, au Canada. Les oeuvres qui s'inscrivent dans cette tradition dépeignent l'animal dans son milieu habituel, mais sans entrer dans les détails de cet habitat. Encore une fois, il s'agit de montrer l'animal dans son milieu et de le situer par rapport à celui-ci. Cette tradition a exercé une influence notable sur la majorité des oeuvres du domaine de l'art animalier produites actuellement.

Deux lithographies des années 1980 ornent les murs de mon bureau. Elles me sont précieuses pour maintes raisons. Bien que ces oeuvres soient passablement différentes, chacune offre une composition intéressante vue d'une certaine distance, chacune renferme des éléments dramatiques, chacune illustre un petit oiseau écrasé par son milieu, lequel prend alors une importance particulière. J'aurais pu acheter ces deux lithographies pour ces seules raisons, mais chacune offrait une autre dimension et j'ai succombé à leur attrait. L'"Esprit du milieu" se dégage de ces deux lithographies. En d'autres termes, chacune représente un lieu que je connais bien, un endroit riche en souvenirs tendres, où j'ai connu l'espèce représentée. Chaque lithographie capte l'essence d'un coin typique du pays, d'un élément qui caractérise précisément un aspect vivant de la terre. Quiconque connaît le Canada peut situer les endroits représentés sur ces lithographies.

Les Canadiens sont des amants de la nature, et cette tendance va croissant depuis plusieurs décennies. Les gens se procurent des peintures et des lithographies sur la faune, car ces oeuvres captent l'esprit des lieux qui leur sont chers. Qui, se remémorant un lac sité dans le nord, pourrait demeurer insensible devant une lithographie récente où des huards pataugent dans une eau noirâtre et froide, près d'un rivage escarpé de la période précambrienne? Je regarde et j'entends des huards dans le brouillard du matin . . .

Yorke Edwards
Victoria
le 25 Octobre 1987

THE ARTISTS AND THEIR WORKS

DIRECTORY OF PUBLISHERS AND DEALERS

For further information about the artists and how to obtain paintings, limited edition prints and reproductions, contact:

1. Master Editions Incorporated
18 Barker Court
Markham, Ont.
L3P 3X8
(416) 471-6706

2. High Country Press Inc.
R.R. 2,
Orton, Ont.
L0N 1N0
(519) 928-5547

3. Menzies House Publishing
   Corporation
1401 Indian Grove
Mississauga, Ont.
L5H 2S5
(416) 890-1073

4. Rocky Mountain Art Galleries
   Limited
1911 Kennedy Road
Scarborough, Ont.
M1P 2L9
(416) 754-2873

5. The Gallery on the Lake –
   Buckhorn
Box 11
Buckhorn, Ont.
K0L 1J0
(705) 657-3296

6. Mill Pond Press Inc.
310D Center Court
Venice, Florida, USA
34292
(813) 497-6020

7. SCENE CANADA
P.O. Box 73
Markham, Ont.
L3P 3J5
(416) 294-8786

8. Wilkinson Art Ltd.
53 Tromley Drive
Islington, Ont.
M9B 5Y7
(416) 233-3600

9. Feheley Fine Arts
45 Avenue Road
Toronto, Ont.
M5R 2G3
(416) 323-1373

10. Beckett Gallery Ltd.
142 James Street South
Hamilton, Ont.
L8P 3A2
(416) 525-4266

11. Ediscom Inc.
21 D'avaugour
Laval, Quebec
H7G 1S4
(514) 669-4833

LISTE DES ÉDITEURS ET MARCHANDS D'OEUVRES D'ART

Pour de plus amples renseignements sur les artistes et sur la façon de vous procurer leurs peintures, lithographies à tirage limité et reproductions, veuillez vous adresser à :

1. Master Editions Incorporated
18 Barker Court
Markham, Ontario
L3P 3X8
(416) 471-6706

2. High Country Press Inc.
R.R. 2,
Orton, Ontario
L0N 1N0
(519) 928-5547

3. Menzies House Publishing
   Corporation
1401 Indian Grove
Mississauga, Ontario
L5H 2S5
(416) 890-1073

4. Rocky Mountain Art Galleries
   Limited
1911 Kennedy Road
Scarborough, Ontario
M1P 2L9
(416) 754-2873

5. The Gallery on the Lake –
   Buckhorn
C.P. 11
Buckhorn, Ontario
K0L 1J0
(705) 657-3296

6. Mill Pond Press Inc.
310D Center Court
Venice, Floride, É.-U.
34292
(813) 497-6020

7. SCENE CANADA
C.P. 73
Markham, Ontario
L3P 3J5
(416) 294-8786

8. Wilkinson Art Ltd.
53 Tromley Drive
Islington, Ontario
M9B 5Y7
(416) 233-3600

9. Feheley Fine Arts
45 Avenue Road
Toronto, Ontario
M5R 2G3
(416) 323-1373

10. Beckett Gallery Ltd.
142 James Street South
Hamilton, Ontario
L8P 3A2
(416) 525-4266

11. Ediscom Inc.
21, rue d'Avaugour
Laval, Québec
H7G 1S4
(514) 669-4833

J. FENWICK LANSDOWNE

Biography
Born in Hong Kong, August 8, 1937, Fenwick Lansdowne came to Canada in 1940. He became interested in painting birds at an early age and had his first exhibition in 1952 at the British Columbia Provincial Museum. Since that time, he has become an internationally recognized painter of birds and is best known for comprehensive volumes of birds in their habitat. His works may be found in many private, corporate and public collections, including Art Gallery of Greater Victoria, Audubon House (New York), Beaverbrook Foundation (New Brunswick), the Montreal Museum of Fine Arts and National Museum of Natural Sciences (Ottawa). He lives and works on the west coast of Canada.

Selected Exhibitions
(past five years)
His works have been included in many group exhibitions and, in 1981, the Vancouver Art Gallery mounted a major solo exhibition of his paintings.

Selected Bibliography
Best known for comprehensive volumes on birds, such as *Birds of the West Coast*, 2 volumes (1976-1980), *Rails of the World* (1976), *Birds of the Eastern Forest*, 2 volumes (1968-1970), and *Birds of the Northern Forest* (1966)

Works in Exhibition
Northern Shrike, tempera on fabriano, 1976, 35.5 cm × 42 cm, Collection of M.F. Feheley

Bushtit, tempera on fabriano, 1978, 63.5 cm × 45.7 cm, Collection of M.F. Feheley

Common Goldeneye, watercolour on deWitt, 1980, 35 cm × 42 cm, Collection of M.F. Feheley

Biographie
Né à Hong Kong le 8 août 1937, Fenwick Lansdowne arrive au Canada en 1940. Il commence très jeune à s'intéresser à la peinture des oiseaux et présente sa première exposition en 1952 au Musée provincial de la Colombie-Britannique. Il a depuis acquis une renommée internationale comme peintre d'oiseaux. On connaît surtout ses ouvrages complets sur les oiseaux dans leur habitat. Ses oeuvres se répartissent entre plusieurs collections publiques et privées de particuliers et de sociétés, notamment celles de l'Art Gallery of Greater Victoria, de l'Audubon House (New York), de la Beaverbrook Foundation (Nouveau-Brunswick), du Musée des beaux-arts de Montréal et du Musée national des sciences naturelles à Ottawa. L'artiste vit et travaille sur la côte ouest du Canada.

Northern Shrike

tempera on fabriano, 1976, 35.5 cm × 42 cm, Collection of M.F. Feheley

JEAN-LUC GRONDIN

Biography

Born in Beauce County, Québec, in 1938, Jean-Luc Grondin studied at the École des Beaux-Arts in Québec City. After graduation, he joined the staff of the Zoological Gardens near Québec City. His drawings and paintings are in many private, corporate and public collections and four were recently selected by the Canada Post Corporation for a series of Canadian stamps. He lives and works in the Laurentian Mountains north of Québec City.

Selected Exhibitions

(past five years)
At the Musée du Séminaire de Québec, 1985-86

L'Art de la nature, Parcs Canada, Québec, 1984

L'Art canadien de la nature, Musées Nationaux du Canada, 1982-84 (travelled in Canada, Germany, France and United Kingdom)

Galerie Bernard Desroches, Montreal, 1985

Royal Ontario Museum, Manitoba Museum of Man and Nature, Provincial Museum of Alberta, Maison de la Culture (Montréal), and Vancouver Museum, 1984-85

Selected Bibliography

Esterez-Minvielle, Francine, "Jean-Luc Grondin, Antistar," *Nature Canada*, Winter, 1987

Cayouette, Raymond and Grondin, Jean-Luc, *Les Oiseaux du Québec*, La Société zoologique de Québec Inc. 1972, 1977

Cayouette, Raymond and Grondin, Jean-Luc, *Nichoirs d'oiseaux*, La Société zoologique de Québec, 1978

Works in Exhibition

Grand héron/Great Blue Heron, oil, 1986, 142.25 cm × 182.9 cm, Collection of the Artist

Pic à dos noir/Woodpecker, vinylic gouache, 1983, 71 cm × 48 cm, Collection of Aciers Canam Ltée

Huard à collier/Common Loon, vinylic gouache, 1987, 38 cm × 101.6 cm, Collection of the Royal Canadian Mint

Biographie

Né en 1938 dans la Beauce, au Québec, Jean-Luc Grondin a étudié à l'École des beaux-arts de Québec. Une fois ses études terminées, il se joint au personnel des Jardins zoologiques près de Québec. Ses dessins et peintures font partie de plusieurs collections publiques et privées de particuliers et de sociétés. Quatre de ses oeuvres ont récemment été retenues par la Société canadienne des postes pour illustrer une série de timbres canadiens. L'artiste vit et travaille dans les Laurentides, au nord de Québec.

Huard à collier/Common Loon

vinylic gouache, 1987, 38 cm × 101.6 cm, Collection of the Royal Canadian Mint/Monnaie royale canadienne

RICHARD STANLEY

Biography
Born in England, Richard Stanley immigrated to Canada in 1965, having already pursued both graduate and post-graduate studies in art. He worked as a designer for twelve years with several international companies. Since 1977, he has worked full-time as an artist. Major commissions include Greenpeace poster of Humpback Whales, a poster for the World Wildlife Fund and two major dioramas for the Royal Ontario Museum's new North American galleries. His works are found in many private, corporate and public collections. He lives and works in Ajax, Ontario.

Selected Exhibitions
(past five years)
International Art Exhibition, College Park, Toronto

Endangered Species Exhibition, Kortright Centre, Kleinberg, Ont.

Works in Exhibition
Wild Flowers, acrylic on canvas, 1986, 120 cm × 180 cm, Collection of Mr. Frank Stronach, Magna International

Amboseli Rogue, acrylic on canvas, 1987, 210 cm × 125 cm, Collection of Mr. and Mrs. Ron De Boer, Harrison Decorating Centre

Arctic Circle, acrylic on canvas, 1983, 75 cm × 100 cm, Collection of Mr. and Mrs. F. Welch

Biographie
Richard Stanley est né en Angleterre où il suivra des études du premier et du deuxième cycle en art plastique. Il travaille comme dessinateur pendant douze ans dans plusieurs sociétés internationales. Depuis 1977, il se consacre exclusivement à son art. Ses principales commandes comprennent l'affiche des rorquals à bosse pour Greenpeace, une affiche pour le Fonds mondial pour la nature et deux grands dioramas pour les nouvelles galeries du Musée royal de l'Ontario sur l'Amérique du Nord.
Ses oeuvres font partie de plusieurs collections publiques et privées de particuliers et de sociétés. L'artiste vit et travaille à Ajax, Ontario.

Wild Flowers

acrylic on canvas, 1986, 120 cm × 180 cm, Collection of Mr. Frank Stronach, Magna International

GEORGE McLEAN

Biography

Born in 1939 and raised in a low-income area of Toronto, George McLean learned the basics of his art in high school. For a number of years, he worked as an illustrator, specializing in wildlife themes. As an artist, he has been guided by the accomplishments in the field of such artists as Bob Kuhn, Bruno Lilefors and Carl Rungius. His work is represented in many private, corporate and public collections. He lives and works in Ontario.

Selected Exhibitions

(past five years)
Animals in Art, Royal Ontario Museum, Toronto

Birds of Prey, Glenbow-Alberta Institute, Calgary

Exhibitions in the United States and Europe

Selected Bibliography

(past five years)
McLean, George, *Paintings from the Wild*

Included in *From the Wild*, and *20th Century Wildlife Artists*

Articles in *Wildlife Art News*, *International Wildlife*, *Art Impressions*, *Canadian Art*, and *Nature Canada*

Works in Exhibition

Golden Eagle, casein on masonite, 1984, 48.3 cm × 83.2 cm, Private Collection

White-tailed Deer in Winter, casein on masonite, 1985, 165 cm × 104 cm, Private Collection

Courting Ruffed Grouse, casein on masonite, 1985, 114.9 cm × 85 cm, Private Collection

Biographie

Né en 1939, George McLean a grandi dans un quartier défavorisé de Toronto. Il apprend les rudiments de son art à l'école secondaire. Pendant plusieurs années, il travaille comme illustrateur spécialisé dans les thèmes de la faune. En tant qu'artiste, il s'inspire de travaux réalisés sur le terrain par des peintres comme Bob Kuhn, Bruno Lilefors et Carl Rungius. Ses oeuvres font partie de plusieurs collections publiques et privées de particuliers et de sociétés. L'artiste vit et travaille en Ontario.

White-tailed Deer in Winter

casein on masonite, 1985, 165 cm × 104 cm, Private Collection

LIZ LESPERANCE

Selected Exhibitions
(past five years)
Southeastern Wildlife Exposition,
Charleston, S.C., 1987

Selected Bibliography
(past five years)
Highlights, Oct/Nov, 1987

Art Impressions, Spring, 1987

Biographie
Née en 1954, Liz Lesperance a grandi dans le sud de l'Ontario. Elle étudie pendant trois ans l'illustration technique dans un collège canadien. Elle travaille comme dessinatrice publicitaire pendant plusieurs années avant de se consacrer exclusivement à l'art animalier. Ses oeuvres se trouvent dans plusieurs collections privées de particuliers et de sociétés.

Biography
Born in 1954 and raised in Southern Ontario, Liz Lesperance studied technical illustration at a Canadian college for three years. For a number of years, she worked as a commercial artist before turning her energies exclusively to wildlife art. Her works may be found in many private and corporate collections.

Works in Exhibition
Winging Westward – Canada Geese,
acrylic on masonite, 1987, 71.1 cm ×
132 cm, Private Collection

Mystical Shadows – Common Loon,
acrylic on masonite, 1987, 73.7 cm ×
109.2 cm, Collection of Artist

Silent Wings, acrylic on masonite,
1987, 50.8 cm × 66 cm, Collection
of the Artist

Mystical Shadows – Common Loon

acrylic on masonite, 1987, 73.7 cm × 109.2 cm, Collection of Artist

RON PARKER

Biography
Born in Vancouver, December 4, 1942, Ron Parker graduated from the University of British Columbia with a B.Ed. in 1976. He worked at various jobs before becoming a full-time artist in 1978. His works are in many private and corporate collections. He lives and works in Victoria, B.C.

Selected Exhibitions
(past five years)
Wildlife in Art, Leigh Yawkey Woodson Art Museum, Wisconsin, 1987

26th annual juried exhibition, Society of Animal Artists, The California Academy of Sciences, San Francisco, California, 1986

Birds in Art, Leigh Yawkey Woodson Art Museum, Wisconsin, 1985, 1986

Selected Bibliography
(past five years)
Art Impressions, Spring, 1987

Hume, Christopher, *From the Wild* (Toronto: Summerhill Press, 1986)

Wildlife Art News, March/April, 1986

Works in Exhibition
Autumn Foraging – Moose, acrylic on masonite, 1985, 61 cm × 101.6 cm, Private Collection

Red-cockaded Woodpecker, acrylic on masonite, 1986, 45.7 cm × 35.6 cm, Collection of J. Burger

Silent Steps – Lynx, acrylic on masonite, 1984, 81.3 cm × 61 cm, Private Collection

Biographie
Ron Parker est né à Vancouver le 4 décembre 1942. Il obtient en 1976 son baccalauréat en sciences de l'éducation de l'université de la Colombie-Britannique. Il exercera plusieurs métiers avant de se consacrer exclusivement à son art en 1978. Ses oeuvres font partie de nombreuses collections privées de particuliers et de sociétés. L'artiste vit et travaille à Victoria, en Colombie-Britannique.

Autumn Foraging – Moose

acrylic on masonite, 1985, 61 cm × 101.6 cm, Private Collection

AUDREY CASEY

Biography
Raised near Riding Mountain National Park in Manitoba, Audrey Casey early developed a pleasure in painting which has remained with her all her life. She taught school for fourteen years before she began painting full time. Her works are in a number of private, corporate and public collections. She lives and works in Manitoba.

Selected Exhibitions
(past five years)
Her works have been selected for a number of juried art exhibitions as well as for a Canadian Nature Federation travelling exhibition.

Bibliography
(past five years)
Articles have appeared in *Art Impressions*, *Skyword*, and *Western People* magazines.

Works in Exhibition
Safety in Numbers – Wolf Cubs, oil on canvas, 1986, 75 cm × 100 cm, Collection of Mr. and Mrs. Trevor Eyton

Everwatchful – Timber Wolves, oil on canvas, 1986, 60 cm × 120 cm, Collection of Mr. and Mrs. Orin Reid

Echoes of Tranquillity, oil on canvas, 1986, 60 cm × 90 cm, Collection of Mr. and Mrs. T. Davidson

Biographie
Audrey Casey a grandi près du parc national du mont Riding, au Manitoba. Elle découvre très tôt le plaisir de peindre, plaisir qu'elle éprouve toujours depuis. Elle enseigne pendant quatorze ans avant de se consacrer entièrement à la peinture. Ses oeuvres font partie de plusieurs collections publiques et privées de particuliers et de sociétés. Elle vit et travaille au Manitoba.

Safety in Numbers — Wolf Cubs

oil on canvas, 1986, 75 cm × 100 cm, Collection of Mr. and Mrs. Trevor Eyton

MICHAEL DUMAS

Biography
At present, Michael Dumas works as an instructor at the Buckhorn School of Fine Art. His paintings are in many private and corporate collections and two were recently selected by the Canada Post Corporation for a series of Canadian stamps.

Selected Exhibitions
(past five years)
The National Museum of Natural Sciences, Ottawa

Theodore Roosevelt National Historic Site, Buffalo, New York

The McMichael Canadian Collection, Kleinburg

Selected Bibliography
(past five years)
Articles on Michael Dumas have appeared in many magazines, including *Outdoor Canada*, *Reader's Digest*, *Canadian Geographic*, and *Wildlife Art News*

Works in Exhibition
Heirs to the Wind – Peregrine Falcon, egg tempera and gouache on board, 1986, 73.7 cm × 73.7 cm, Collection of Mr. and Mrs. J. Gordon Gilchrist, Scarborough, Ont.

Prairie Cradle – Burrowing Owls, egg tempera and gouache on board, 1987, 73.7 cm × 73.7 cm, Collection of Mr. and Mrs. J. Gordon Gilchrist, Scarborough, Ont.

Avian Antiquity – Common Loon, egg tempera on board, 1987, 55.9 cm × 81.3 cm, Collection of Mr. and Mrs. Robert Phillips, Lindsay, Ontario

Biographie
À l'heure actuelle, Michael Dumas enseigne à l'École des beaux-arts de Buckhorn. Ses tableaux font partie de plusieurs collections privées de particuliers et de sociétés. Deux de ses oeuvres ont récemment été sélectionnées par la Société canadienne des postes pour illustrer une série de timbres canadiens.

Heirs to the Wind –
Peregrine Falcon

egg tempera and gouache on board, 1986, 73.7 cm × 73.7 cm, Collection of Mr. and Mrs. J. Gordon Gilchrist, Scarborough, Ontario

PAUL BURDETTE

Biography

Born and raised in Toronto, Paul Burdette became fascinated by nature and began in his twenties to carve duck decoys. His interest quickly moved from decoys to lifesize decorative carvings. He has his own carving school and wildlife art gallery in Orton, Ontario. His works are to be found in many private, corporate and public collections, including The Wildlife World Museum (Colorado), The Denver Museum (Colorado), The Los Angeles Museum (California), The Ward Foundation Museum (Maryland), and the Thousand Islands Museum (New York). He has received numerous awards.

Selected Exhibitions

(past five years)
His works have been exhibited at The Royal Ontario Museum (Toronto), Cleveland Museum of Art (Ohio), Carnegie Museum of Art (Pennsylvania), Renwick Gallery-Smithsonian Institute (Washington, D.C.) and Chatsworth House (England) among others.

Selected Bibliography

(past five years)
The Masters of Decorative Bird Carving of North America (1982)

Works in Exhibition

Close Call – Green-winged Teal and Mink, wood, metal and resin, 1987, 108 cm × 70 cm × 110 cm, Collection of Mr. and Mrs. P. Durish

The Chase – Bufflehead and Herring, wood and metal, 1983, 40 cm × 20 cm × 30 cm, Collection of Mr. and Mrs. S. Mendelson

Eskimo Curlew – One of a Kind, wood, 1984, 30 cm × 25 cm × 20 cm, Collection of Mr. and Mrs. Ken Windsor

The Confrontation – Gyrfalcons, wood, 1986, 22.5 cm × 50 cm × 35 cm, Collection of Mr. and Mrs. Paul Durish

Caspian Tern, wood, 1984, 20 cm × 18 cm × 45 cm, Collection of Mr. and Mrs. Frank Welch

Biographie

Paul Burdette est né et a grandi à Toronto. La nature le fascine. Âgé d'une vingtaine d'années, il commence par sculpter des appeaux, et très vite, il passe à des sculptures décoratives, grandeur nature. À présent, il a sa propre école de sculpture et sa galerie d'art animalier à Orton, en Ontario. Ses oeuvres font partie de plusieurs collections publiques et privées de particuliers et de sociétés, notamment celles du Wildlife World Museum et du Denver Museum au Colorado, du Los Angeles Museum en Californie, du Ward Foundation Museum dans le Maryland, et du Thousand Islands Museum dans l'État de New York. Il a reçu de nombreux prix.

One of a Kind – Eskimo Curlew

wood, 1984, 30 cm × 25 cm × 20 cm, Collection of Mr. and Mrs. Ken Windsor

CHRIS BACON

Biography

Born in Watford, England in 1960, Chris Bacon immigrated to Canada with his parents in 1973. Self-taught, he began exhibiting in 1980. His works are in private collections in Canada, United States, England and Australia. He lives in Burlington in southern Ontario.

Selected Exhibitions

(past five years)
Birds in Art, The Leigh Yawkey Woodson Art Museum, Wausau, Wisconsin, 1987

Selected Bibliography

(past five years)
Waterfowl of North America, (Ducks Unlimited, 1987)

Works in Exhibition

Redhead, watercolour and gouache on board, 1987, 28 cm × 48.25 cm, Private Collection

Distraction – Barn Swallow Fledglings, watercolour and gouache on board, 1986, 27.3 cm × 23.5 cm, Collection of Erwin G. Smith

Barrow's Goldeneyes, watercolour and gouache on board, 1986, 24 cm × 43.2 cm, Private Collection

Great Blue Heron, Acrylic on board, 1984, 45.7 cm × 41.9 cm, Private Collection

Biographie

Né en 1960 à Watford, en Angleterre, Chris Bacon immigre au Canada avec ses parents en 1973. Autodidacte, il commence à exposer en 1980. Ses oeuvres font partie de collections privées du Canada, des États-Unis, de l'Angleterre et de l'Australie. L'artiste vit à Burlington, dans le sud de l'Ontario.

Redhead

watercolour and gouache on board, 1987, 28 cm × 48.25 cm, Private Collection

GLEN LOATES

Biography

Born in Toronto in 1945, Glen Loates is a self-taught artist. As a child, he received encouragement from the late watercolourist Fred Brigden and his own father, Albert Loates, who was a painter and commercial artist. Internationally acclaimed, Glen Loates' works may be found in private, corporate and public collections in North America and abroad. Most recently, he has been working on paintings and drawings of undersea life in its natural habitat. He resides in Maple, Ontario.

Selected Exhibitions

(past five years)
The Illustrated Bird in Canada, National Museum of Natural Sciences, Ottawa, 1986

Canadian Nature Art, National Museum of Natural Sciences, 1982

A Brush with Life, Royal Ontario Museum, Toronto, 1985

Selected Bibliography

(past five years)
Murray Joan, *The Essential Glen Loates*, *Art Impressions*, Summer, 1986, pp. 8-14.

Warner, Glen, *Glen Loates: A Brush with Life*, Toronto: Prentice-Hall of Canada, 1984

Dumas, Michael, *Glen Loates: An Intimate Wilderness*, *Wildlife Art News*, July/August, 1984, pp. 18-22.

Warner, Glen, *The Conservation of Glen Loates*, *The Financial Post Magazine*, August 1, 1983, pp. 12-15.

Works in Exhibition

Pacific Loon, pastel on rag paper, 1987, 83.8 cm × 71 cm, Collection of Glen Loates Productions Inc.

Autumn Deer, watercolour on rag paper, 1986, 78.7 cm × 67 cm, Collection of Glen Loates Productions Inc.

Pisces VI and Giant Squid, pastel on rag paper, 1987, 70 cm × 82.5 cm, Collection of Glen Loates Productions Inc.

Biographie

Glen Loates est né à Toronto en 1945. C'est un artiste autodidacte. Enfant, il reçoit les encouragements de feu Fred Brigden, aquarelliste, et d'Albert Loates, son père, peintre et dessinateur publicitaire. Glen Loates connaît une renommée internationale et ses oeuvres se trouvent dans plusieurs collections publiques et privées de particuliers et de sociétés, en Amérique du Nord et à l'étranger. Ses travaux les plus récents sont des peintures et des dessins de la faune océanique dans son habitat naturel. L'artiste vit à Maple, Ontario.

Pacific Loon

pastel on rag paper, 1987, 83.8 cm × 71 cm, Collection of Glen Loates Productions Incorporated

TERENCE SHORTT

Biography
Born in Winnipeg in 1910, Terence Shortt joined the staff of the Royal Ontario Museum's ornithology department, in 1930, after graduating from the Winnipeg School of Art. He worked at the R.O.M. all his life, where he was responsible for many of the dioramas created for the museum's galleries. His works are in many private, corporate and public collections. He died in 1986.

Selected Exhibitions
(past five years)
His work was featured in over twenty books on wildlife and articles on him appeared in *Audubon Magazine*, *International Wildlife* and the *Reader's Digest*.

Works in Exhibition
Piping Plover, watercolour on paper, 1930, 16.5 cm × 11.8 cm, Collection of Pagurian Gallery

Biographie
Terence Shortt est né à Winnipeg en 1910. Après ses études à la Winnipeg School of Art, il se joint en 1930 au personnel du département d'ornithologie du Musée royal de l'Ontario. Il y travaillera toute sa vie. Il fut chargé de nombreux dioramas créés pour les galeries du musée. Ses oeuvres font partie de plusieurs collections publiques et privées de particuliers et de sociétés. Il est décédé en 1986.

PIPING PLOVER ♂
(Charadrius melodus)
Elk I. Lake Winnipeg. Man
June 6. 1930.

Piping Plover

watercolour on paper, 1930, 16.5 cm × 11.8 cm, Collection of Pagurian Gallery

OSUITOK IPEELEE

Biography
Born in 1923, Osuitok Ipeelee has resided in Cape Dorset since 1956. He is known as a sculptor and printmaker and his work is in many private, corporate and public collections.

Selected Exhibitions
(past five years)
Contemporary Inuit Art, National Gallery of Canada, 1986

Uumajut – Animal Imagery in Inuit Art, Winnipeg Art Gallery, 1985

Grasp Tight the Old Ways: Selections from the Klamer Family Collection of Inuit Art, Art Gallery of Ontario, Toronto, 1985

The Oral Tradition, Canadian Museum of Civilization, Ottawa, 1984

Inuit Masterworks: Selections from the Collection of Indian Affairs and Northern Development, McMichael Canadian Collection, Kleinburg, 1983

Selected Bibliography
(past five years)
Swinton, George, *Sculpture of the Eskimo*, Toronto: McClelland and Stewart, 1972, reprinted 1982

Works in Exhibition
Bear and Walrus, stone and ivory, n.d., 54.6 cm × 44.5 cm × 12.7 cm, Collection of Feheley Fine Arts

Whale, Walrus, Bird, soapstone and ivory, n.d., 50 cm × 30 cm × 5 cm, Collection of Feheley Fine Arts

Kneeling Woman, soapstone, n.d., 48 cm × 22 cm × 25 cm, Collection of Feheley Fine Arts

Bird Totem, soapstone, n.d., 50.8 cm × 27.9 cm × 10 cm, Collection of Feheley Fine Arts

Caribou-Owl Spirit, stone, n.d., 43 cm × 33.5 cm × 25.3 cm, Collection of Feheley Fine Arts

Biographie
Osuitok Ipeelee est né en 1923. Il habite Cap-Dorset depuis 1956. Il est sculpteur et graveur d'art, et ses oeuvres font partie de plusieurs collections publiques et privées de particuliers et de sociétés.

Bear and Walrus

stone and ivory, ca. 1975, 54.6 cm × 44.5 cm × 12.7 cm, Collection of Feheley Fine Arts

BRENDA CARTER

Biography
Canadian born, Brenda Carter trained in Florida at the Ringling School of Art. She has worked with both National Museums of Canada and the Canadian Wildlife Service as an illustrator. Although she has travelled widely in the world, she has special interest and extensive experience in the Arctic. Her work is in many private, public and corporate collections, including the Canadian Wildlife Federation, the National Museums of Canada, the Canadian Wildlife Service and the Canadian Nature Federation. In 1987/88, Ducks Unlimited Canada bestowed the Waterfowl Art Award on her, making her the first woman artist in North America to have received this honour.

Selected Exhibitions
(past five years)
Canada Week Art Exhibit, Nuuk, Greenland, 1986

The Illustrated Bird in Canada, National Museum of Natural Sciences, 1986

Canadian Nature Art International Exhibit, 1982 (travelled to Germany, Switzerland and United Kingdom)

The Art of the Wilderness, The Remington Art Museum, 1987
From Wilderness to Studio, Canadian Wildlife Federation Gallery, 1984

Selected Bibliography
(past five years)
Conservator, Vol. 8, No. 2, 1987, pp. 10-11

Art Impressions, Summer, 1986, pp. 34-35

Canadian Geographic Magazine, Oct./Nov., 1984, pp. 66-71
Van Zyll de Jong, C.G., *Handbook of Canadian Mammals*, National Museums of Canada, 1983

Works in Exhibition
Dawn Watch: Cougar, acrylic on gesso board, 1987, 91.4 cm × 143 cm, Collection of the Artist

January Flight: Great Horned Owl, acrylic on gesso board, 1987, 71 cm × 101.6 cm, Collection of the Artist

Arctic Mist: Polar Bears, acrylic on gesso board, 1987, 91.4 cm × 152.4 cm, Collection of the Artist

Biographie
Née au Canada, Brenda Carter étudie en Floride à la Ringling School of Art. Elle travaille comme illustratrice pour les Musées nationaux du Canada et pour le Service canadien de la faune. Elle voyage beaucoup à travers le monde mais s'intéresse tout particulièrement à l'Arctique dont elle a une très grande expérience. Ses oeuvres se répartissent entre plusieurs collections publiques et privées de particuliers et de sociétés, notamment de la Fédération canadienne de la faune, des Musées nationaux du Canada, du Service canadien de la faune et de la Fédération canadienne de la nature. Canards Illimités Canada lui décerne le Waterfowl Art Award de 1987-1988. Elle devient ainsi la première femme d'Amérique du Nord à recevoir cette distinction.

Dawn Watch: Cougar

acrylic on gesso board, 1987, 91.4 cm × 143 cm, Collection of the Artist

TERRENCE ANDREWS

Biography
Born in Toronto, Terrence Andrews
is a self-taught artist. He has worked
as a commercial artist, specializing in
magazine illustration. He teaches at
the Buckhorn School of Fine Art.
His works are in many private and
corporate collections. He lives and
paints at Fenelon Falls, Ontario.

Works in Exhibition
*Early Morning Silence – Common
Loons*, watercolour and airbrush on
paper, 1987, 68.6 cm × 99 cm,
Collection of J. Shumiatcher, Regina,
Sask.

Biographie
Terrence Andrews est né à Toronto.
Cet artiste autodidacte a travaillé
comme dessinateur publicitaire
spécialisé dans l'illustration de
magazines. Il enseigne à l'École des
beaux-arts de Buckhorn. Ses oeuvres
font partie de plusieurs collections
privées de particuliers et de sociétés.
Il vit et peint à Fenelon Falls, en
Ontario.

Early Morning Silence – Common Loons

watercolour and airbrush on paper, 1987, 68.6 cm × 99 cm, Collection of J. Shumiatcher, Regina, Saskatchewan

ALLAN SAKHAVARZ

Biography
Born and brought up in Iran, Allan Sakhavarz became a cartoonist and painter. After the political turmoil in 1980, he left Iran with his family and immigrated to Canada. Since then, he has become a successful painter of the birds and mammals of North America. His works may be found in many private and corporate collections, including Argus, McLeod, Young and Weir, Brascan, and Cooper of Canada.

Selected Exhibitions
(past five years)
Birds in Art, Leigh Yawkey Woodson Art Museum, Wausau, Wisconsin, 1987

National Museum of Natural Sciences, Ottawa, 1986

Works in Exhibition
Quiet Distraction – Cougar, casein on masonite, 1987, 46 cm × 80 cm, Collection of the Artist

Arctic Gyrfalcon – White Phase, casein on masonite, 1987, 50 cm × 75 cm, Collection of the Artist

Frozen Creek – Coyotes, casein on masonite, 1987, 46 cm × 80 cm, Collection of the Artist

Biographie
Allan Sakhavarz est né et a grandi en Iran où il est devenu caricaturiste et peintre. Après les troubles politiques de 1980, il quitte l'Iran avec sa famille pour immigrer au Canada. Il se lance alors avec succès dans la carrière de peintre des oiseaux et des mammifères d'Amérique du Nord. Ses oeuvres se trouvent dans plusieurs collections privées de particuliers et de sociétés, notamment celles d'Argus, de McLeod, Young et Weir, et Brascan, et de Cooper du Canada.

Quiet Distraction – Cougar

casein on masonite, 1987, 46 cm × 80 cm, Collection of the Artist

DONALD CURLEY

Biography
Born in Halifax, Nova Scotia, April 4, 1940, Donald Curley studied at the Nova Scotia College of Art and Design, the Art Students League (New York), the Royal Academy (London) and with Dean Cornwall and Frank Reilly (New York). He was Director of the Vancouver Academy of Fine Art and lectured in Art History at Dalhousie University. His work is represented in many private, corporate and public collections, including the Art Gallery of Nova Scotia, the Nova Scotia Art Bank, and the National Museum of Natural Sciences.

Selected Exhibitions
(past five years)
The Illustrated Bird in Canada, National Museum of Natural Sciences, 1986

Canadian Prints, Art Gallery of Nova Scotia, 1985

The Spirit of the Wild, World Wildlife Fund, Toronto, 1982

Selected Bibliography
(past five years)
Nature Canada, Canadian Nature Federation, 1986

Islands at the Edge, Douglas & McIntyre, 1984

The Spirit of the Wild, World Wildlife Fund, 1983

Lank, David M., "The Wilderness Art of Donald Curley", *Arts Atlantic*, 1983

Works in Exhibition
Winter Lace, oil on panel, 1986, 61 cm × 91.5 cm, Collection of King City, Ontario

Cooling Off, oil on panel, 1984, 76 cm × 55.5 cm, Private Collection

Not a Great Place to Cross, oil on panel, 1987, 46 cm × 71.5 cm, Collection of Michael Nash

Biographie
Donald Curley est né à Halifax, en Nouvelle-Écosse, le 4 avril 1940. Il étudie au College of Art and Design de la Nouvelle-Écosse, à la Art Students League (New York), à la Royal Academy (Londres), et avec Dean Cornwall et Frank Reilly (New York). Il a été directeur de l'Academy of Fine Art de Vancouver, et a enseigné l'histoire de l'art à l'université de Dalhousie. Ses oeuvres se trouvent dans plusieurs collections publiques et privées de particuliers et de sociétés, notamment à la Art Gallery et à la Art Bank de la Nouvelle-Écosse, et au Musée national des sciences naturelles.

Winter Lace

oil on panel, 1986, 61 cm × 91.5 cm, Collection of King City, Ontario

SUSAN MENZIES

Biography
Born in Edmonton, Alberta, May 28, 1947, Susan Menzies developed an early interest in art and later studied at the Ontario College of Art. She has worked in theatre design, social work and advertising, she was senior artist and art director for a publishing company and advertising firm. Since 1977, she has devoted all her time to painting. Menzies' work is in many private and corporate collections, and she has, over the past few years, been honoured by a number of leading wildlife organizations.

Selected Exhibitions
(past five years)
Burlington Cultural Centre, Burlington

McMichael Canadian Collection, Kleinberg

Private galleries and spaces in Canada and United States

Works in Exhibition
The Spirit of Hope, acrylic on canvas, 1987, 61 cm × 76 cm, Collection of Rudy & Ilona Kopriva

Roseates, acrylic on canvas, 1987, 41 cm × 51 cm, Collection of Menzies House Publishing Corporation

Sea Otter, acrylic on canvas, 1987, 61 cm × 76 cm, Collection of Menzies House Publishing Corporation

Biographie
Susan Menzies est née à Edmonton, en Alberta, le 28 mai 1947. Elle s'intéresse très tôt à l'art et étudie à l'Ontario College of Art. Elle fait de la décoration théâtrale, du travail social et de la publicité; elle occupe le poste d'artiste principale chez un éditeur puis celui de directrice artistique dans une agence de publicité. Depuis 1977, elle consacre tout son temps à la peinture. Ses oeuvres se trouvent dans plusieurs collections privées de particuliers et de sociétés. Ces dernières années, elle a reçu des distinctions de plusieurs grands organismes voués à la faune.

The Spirit of Hope

acrylic on canvas, 1987, 61 cm × 76 cm, Collection of Rudy and Ilona Kopriva

ROBERT BATEMAN

Biography

Born in Toronto, May 24, 1930, Robert Bateman became interested in nature at an early age and belonged to the Royal Ontario Museum's Junior Field Naturalist's Club. He attended the University of Toronto and, in 1954, received his B.A. in Geography. Subsequently, he earned a teaching certificate and taught in Canada and Africa until he turned full-time to art in 1975. His works are represented in private, corporate and public collections around the world and he has received many honours, including the Order of Canada (1984), Doctor of Science, *honoris causa* (Carleton University), Doctor of Law-Fine Arts, *honoris causa* (Brock University), Doctor of Laws, *honoris causa* (Guelph University) and Doctor of Letters-Fine Arts, *honoris causa* (Lakehead University), as well as many awards and honours in the fields of art and conservation.

Selected Exhibitions

(past five years)
Solo exhibitions at the Smithsonian Institution (Washington, D.C., 1987), Joslyn Art Museum (Nebraska, 1987), Gilcrease Art Museum (Oklahoma, 1986), Leigh Yawkey Woodson Art Museum (Wisconsin, 1986), National Museum of Natural Sciences (Ottawa, 1984) and has participated in many group exhibitions.

Selected Bibliography

(past five years)
Shetler, Stanwyn, *Portraits of Nature: Paintings by Robert Bateman* (Smithsonian Institution, 1987)

Derry, Ramsay, *The World of Robert Bateman* (Madison Press Books/ Penguin Books Canada/Random House, 1985, 1986)

Van Gelder, Patricia, *Wildlife Artist at Work* (Watson-Guptill, 1982)

Articles in *Wildlife Art News, MacLean's, Saturday Night, Questa, Camera Canada, Reader's Digest* and many other North American and European magazines.

Works in Exhibition

Giant Panda, acrylic on board, 1985, 91.4 cm × 122 cm, Collection of Prudential Insurance of America, Canada

Orca Procession, acrylic on board, 1985, 76.2 cm × 106.7 cm, Private Collection

Evening Light – White Gyrfalcon oil on masonite, 1981, 91.4 cm × 122 cm; Private Collection

Biographie

Né à Toronto le 24 mai 1930, Robert Bateman s'intéresse très tôt à la nature, et il fait partie du Junior Field Naturalist's Club du Musée royal de l'Ontario. Il étudie à l'université de Toronto et, en 1954, reçoit un baccalauréat en géographie. Il obtient ensuite son brevet d'enseignement. Il enseignera au Canada et en Afrique jusqu'à ce qu'il se consacre entièrement à son art, à partir de 1975. Ses oeuvres sont présentes dans des collections publiques et privées de particuliers et de sociétés, à travers le monde. Il a reçu de nombreuses distinctions : l'Ordre du Canada (1984), un doctorat honorifique ès science de l'université Carleton, un doctorat honorifique en droit et en art plastique de l'université Brock, un doctorat honorifique en droit de l'université de Guelph, et un doctorat honorifique ès lettres et en art plastique de l'université Lakehead. Il a également reçu plusieurs prix et distinctions dans le domaine des arts et de la conservation de la nature.

Giant Panda

acrylic on board, 1985, 91.4 cm × 122 cm, Collection of Prudential Insurance of America, Canada

ACKNOWLEDGEMENTS

As with most worthwhile undertakings, a great many individuals and organizations have been involved in making the exhibition, "The Art of Survival, Canadian Artists in Aid of Endangered Wildlife", and this art book a success.

From an original idea by the Canadian Wildlife Service (Environment Canada) of an art show in Toronto, the exhibition concept has evolved, and attracted many active sponsors and participants.

In addition to Environment Canada, the organizing agencies have included the World Wildlife Fund, The Canadian Nature Federation, and Wildlife Habitat Canada. The Canadian National Sportsmen's Shows, Ducks Unlimited and the Ontario Federation of Anglers and Hunters also contributed. These same organizations are those that have been instrumental in co-ordinating Wildlife '87 activities throughout the year.

Without the receptivity and co-operation of the artists, not to mention their remarkable creative talent, there would be no exhibition and no art book. Special thanks are also due to the private, corporate and public lenders who agreed to make art pieces available for the exhibition.

The Royal Ontario Museum not only provided space for the exhibition and the attendant reception, but also assisted in all aspects of the mounting of the exhibition, including co-ordination, insurance arrangements, promotion, fundraising advice and handling, hanging and mounting of the art works. Special gratitude is owed to the Director and the Board of Trustees for their support and enthusiasm.

The assistance of the staff of Conservation and Protection, Ontario Region (Environment Canada) in providing advice, administrative assistance and in facilitating many aspects of the exhibition is acknowledged.

And finally, thanks are also extended to the staff of Harbourfront's Power Plant for materials and advice.

REMERCIEMENTS

Comme à chaque fois qu'une réalisation d'envergure voit le jour, un grand nombre d'individus et d'organismes ont contribué à faire de ce catalogue et de l'exposition "La survivance et l'art, les artistes canadiens à la rescousse des espèces menacées", un véritable succès.

À partir de l'idée originale énoncée par le Service canadien de la faune (Environnement Canada), le concept d'organiser une exposition à Toronto a évolué et rallié commanditaires et participants.

En plus d'Environnement Canada, on retrouve parmi les organismes participants le Fonds mondial pour la nature (Canada), la Fédération canadienne de la nature et Habitat faunique Canada, de même que les Canadian National Sportsmen's Shows, Canards Illimités Canada et la Ontario Federation of Anglers and Hunters. Ces mêmes organismes ont d'ailleurs coordonné les activités de Faune 1987 tout au long de l'année.

N'eût été de l'intérêt et de la collaboration des artistes, sans parler de leur remarquable talent de créateur, une telle exposition et le catalogue qui l'accompagne n'auraient pu être réalisés. Nous tenons spécialement à remercier tous les collectionneurs qui ont accepté de prêter leurs oeuvres d'art pour cette exposition.

En plus de fournir l'emplacement nécessaire à l'exposition et à la cérémonie d'inauguration, le Musée royal de l'Ontario a contribué à tous les aspects de l'organisation de l'exposition, y compris sa coordination, les contrats avec les assureurs, la publicité, la mise sur pied de la campagne de souscription, et la manutention, l'installation et la présentation des oeuvres d'art. Nous sommes tout particulièrement reconnaissants au directeur et au conseil d'administration du musée qui nous ont appuyé avec enthousiasme.

Nous tenons également à souligner que le personnel de Conservation et Protection de la région de l'Ontario (Environnement Canada) nous a prodigué des conseils et fourni une aide administrative, en plus de faciliter bien des aspects de l'organisation de l'exposition.

Enfin, nous souhaitons exprimer nos remerciements au personnel du Harbourfront's Power Plant pour nous avoir fourni matériel et conseils.

SPONSORS

Canadian Airlines International Ltd. was the official transporter of artists participating in this book to the opening reception of the exhibition.

Canadian wildlife conservation groups contributing to "The Art of Survival" include:

Environment Canada – Canadian Wildlife Service

Canadian Nature Federation

Canadian National Sportsmen's Shows

Ontario Federation of Anglers and Hunters

Wildlife Habitat Canada

World Wildlife Fund – Canada

Ducks Unlimited – Canada

Terry Andrew's "Early Morning Silence", commissioned by General Foods Inc., was presented to the Federal Environment Minister, the Honourable Tom McMillan, on June 4, 1987 in honour of Wildlife '87. The Hon. Tom McMillan later that day donated the painting to the DU/WWF Fundraising Art Auction, the proceeds of which are used for wildlife conservation projects.